ARGENTINA

FOTOGRAFIAS DE ALBERTO PATRIAN

EDICIONES
GALAXXI

Alberto Mario Patrian

Fotógrafo profesional ambientalista, responsable entre 1991 y 1993 del Area Ecológica del Centro Cultural Gral. San Martín G.C.B.A.. Colaborador permanente en la Biblioteca del American Museum of Natural History de New York y en el Science Museum of Long Island. Así como con la Sctría. de Turismo de la Pcia. de Santa Cruz, la Secret. de Turismo de Chubut, las Secrets.de Turismo de Puerto Madryn y El Calafate, y la Fundación Orca.

Preside Ediciones Gala XXI, Miembro del The Explorers Club, NYC. Disertante en la Universidad Federal de Porto Alegre y en la Semana Mundial del Medio Ambiente '95 Río Grande Do Sul, sobre Fotografía de Naturaleza. Expositor y disertante en La Semana de la Fotografía (SENAC) Porto Alegre, Brasil '99.

Obtiene Primer Premio y Mención Expofoto '88. Participa, y se lo galardona en el Concurso Internacional Foto-Sub, Antibes, Francia '93. Mención Especial Asoc. A. Museo de Bellas Artes, Buenos Aires '95. Expuso, entre otros salones, en Expo-Gallery Nikon, Argentina '90; Expo-Sevilla '92, España; Centro Cultural Gral. San Martín '91/'93; Semana del Medio Ambiente Porto Alegre '95/'96, Brasil; Bco. Ciudad de Buenos Aires '94; Palais de Glace '95; Science Museum of Long Island, New York '96, Semana de las Orcas, Pto. Madryn '98/'99/'01, Centro Cultural Borges '98, Expo-Aventura '98/'99/'00, Expositor Bolsa de Comercio de Buenos Aires '98/'00/'01 y Expo-Patagonia '99, Secr. Turismo Puerto Madryn '01, Museo Renault '98/'99/'00. Auditorium Cine Teatro Puerto Madryn '00.

Durante 1997 participó de la principal exposición del American Museum of Natural History, New York: "Endangered! Exploring a World at Risk."

Sus trabajos fotográficos se publicaron en los periódicos: La Nación, Clarín, Buenos Aires Herald, Zero Hora. Y en las revistas: Noticias, Gente, Argentine, Master Magazine, Camera Shots, The Explorers Journal New York, entre otras.

Environmentalist professional photographer, responsible for the Ecological Area of "General San Martín" Cultural Center (Buenos Aires city Governement) ,from 1991 to 1993. Permanent collaborator in the Library of American Museun of Natural History (New York) and in the Science Museum of Long Island. As well as in the Undersecretary's Office of Tourism of Sant Cruz Province, Ministry of Tourism of Chubut Province, Secretaries of Tourism of Puerto Madryn and El Calafate and "Orca Foundation".

He presides over "Gala XXI" Publications, Member of "The Explorers Club", NYC. Lecturer in Federal University of Porto Alegre (Brazil) and in the World-wide Environment Week' 95, Río Grande do Sul, on Photography of Nature. Exhibitor and lecturer in the Week of Photograph (SENAC) Porto Alegre, Brazil '99.

First Award and Expophoto Mention '88. Participation and award in the International Foto-Sub, Antibes, France, '93. Special Mention of 'Asoc. A. Museo de Bellas Artes', Buenos Aires '95. He exhibited, among other halls, in 'Expo-Gallery Nikon', Argentina '90; Expo-Sevilla '92, Spain; General San Martín Cultural Center, '91/'93; Environment Week, Porto Alegre, Brazil '95/'96; Banco Ciudad de Buenos Aires '94; Palais de Glace (Buenos Aires) '95; Science Museum of Long Island, New York, '96; Week of the Orca Whales, Puerto Madryn '98/'99/'00. Borges Cultural Center '98 ExpoAventura '98/'99/'00, exhibitor Bolsa de Comercio de Buenos Aires '98/'00/'01 and Expo-Patagonia '99, Renault Museum '98/'99'/'00, Secretary of Tourism Puerto Madryn '01, Auditorium Cinema Theater Puerto Madryn '00.

During 1997 he participated in the main exhibition of the American Museum of Natural History, New York: "Endangered! Exploring a World at Risk". His photographic works were published in newspapers such as La Nación, Clarín, Buenos Aires Herald, Zero Hora, and in the following magazines: Noticias, Gente, Argentine, Master Magazine, Camera Shots, The Explorers Journal New York.

GALAXXI

Producciones A.L.G. de Patrian
www.patrian.com.ar
gaiaxxi@ciudad.com.ar
telefax: (54 11) 45 22 85 24

Dirección Editorial | General Editor: Alberto M. Patrian
Coordinación Editorial | Editorial Coordination: Christian Duarte
Editores | Editors: Ediciones Gala XXI
Fotografías | Photographs: Alberto M. Patrian ©
Diseño Gráfico | Graphic Design: Christian Duarte
Recopilación de textos | Compiler: Ana L. Giorgetti
Traducción | Translations: Marina Alfonso
Colaboración especial | Special Colaboration: Daniel Leotta | Guillermo Garaschenco | Angel Abad (para Spain Models).

ARGENTINA

América del Sur

Ubicada en el extremo meridional de América del Sur, con sus 2,8 millones de km.2 y aproximadamente 37 millones de habitantes, Argentina nos ofrece además de sus personales ciudades como Buenos Aires, Mar del Plata y Rosario, los más diversos paisajes: la selva virgen subtropical, las extensas llanuras, la estepa, el desierto, los bosques milenarios, las majestuosas cumbres, los glaciares, la ciudad más austral del mundo -Ushuaia-, los increíbles lagos, las gigantescas cataratas y la extensa costa marina. Conforman, junto a la diversidad de flora y fauna, ecosistemas únicos que siguen asombrando a los viajeros de todo el mundo.

Son ellos, los viajeros, los destinatarios de este libro de imágenes autorales que muestra algunos de los principales atractivos de la Argentina.

Destinos plagados de sensaciones, asombro, tradiciones e historia, que nos invitan a la inigualable aventura de descubrirlos.

Located in the southern extreme of South America with its 2,8 million km2 and approximately 37 million inhabitants, Argentine offers apart from its characteristic cities such us Buenos Aires, Mar del Plata and Rosario, various landscapes: the subtropical virgin forest, the endless plains, the steppe, the desert, the ancient forest, the majestic hills, the glaciers, the southernmost city in the world –Ushuaia-, the astonishing lakes, the giant falls and the long sea shore. Form, together with variety of flora and fauna, unique ecosystems that keep surprising visitors from all over the world.

This book is destined to those travellers. It is an authoral book of images that shows some of the main attractions from Argentina. Destines full of feelings, astonishment, traditions and history, that invite us to the incomparable adventure of discovering them.

Foto de tapa: El hongo - Valle de la Luna - San Juan | Cover-photo: El Hongo – Luna Valley
Página anterior: Rio Arrayanes - Lago Futalaufquen P.N.Los Alerces | On previous page: Arrayanes River - Futalaufquen Lake
Páginas siguientes: Atardecer en la Pampa Húmeda | Next pages: Sunset in the pampas

Pampa Húmeda

Buenos Aires | Córdoba | La Pampa | Santa Fé

• En el centro-este del país, asombra al visitante la inmensidad de esta llanura extensamente sembrada, con suaves ondulaciones y caudalosos ríos. Tierra de indomables aborígenes, perseguidos y reducidos por "la civilización". Millones de cabezas de ganado vacuno la pueblan bajo la atenta mirada del paisano, heredero de las tradiciones gauchescas. El gaucho habita las llanuras rioplatenses desde el siglo XVIII, e inspiró a José Hernandez a escribir el Martín Fierro.

In the centre of the country, this extensively sown plain amazes its visitors with its soft waves and wide rivers. Land of rebellious aborigines, chased and reduced by "the civilisation". It is a land inhabited by millions head of cattle, watched by the "paisano", heir to the gaucho's traditions. The gaucho has lived in the Rioplatense plains since the eighteenth century and inspired José Hernandez to write "Martín Fierro".

Tradiciones Gauchescas

• Típicas escenas de los gauchos en días festivos. Se destacan por su destreza como jinetes. Las boleadoras y el lazo son parte de sus elementos de trabajo. Atraen su típica vestimenta, las rastras adornadas con monedas de plata, los afilados facones, los estribos, las espuelas y los vistosos ponchos.

• Some typical scenes of the gaucho's on holidays. Their riding skills captivate the visitors. The "boleadoras" and the "lasso" are some of their working elements. They stand out for their clothing, the belt ornamented with silver coins, the sheath knifes, the spurs and the eye-catching "ponchos".

Mate, símbolo de amistad | Friendly symbol ▸

Ciudad de Buenos Aires

▲ Congreso de la Nación
National Congress building

Seguramente, cuando la fundó en 1536, Pedro de Mendoza no imaginó, no pudo imaginar su futuro.

Nacido como Santa María del Buen Ayre, ese pequeño villorio a orillas del Mar Dulce se transformaría con los siglos, no solo en la capital de Argentina, sino en el epicentro de la mayoría de los acontecimientos históricos y sociales que modelaron la historia del país.

Al igual que el resto del país, esta megalópolis de más de 4.000.000 de habitantes, está plagada de inquietantes contrastes que la hacen única. Las arquitecturas más disímiles pueden encontrarse en cualquier esquina; desde el San Telmo del siglo XVIII hasta los futuristas edificios del bajo, desde las suntuosas mansiones francesas e inglesas de finales del siglo XIX hasta los coloridos conventillos de La Boca, con su máximo exponente -Caminito-; los neoclásicos Bosques de Palermo diseñados por Carlos Thays, y la sofisticada zona de Recoleta.

Este constante contraste es el que hace que la Ciudad de Buenos Aires sea irresistible, familiar y lejana a la vez.

▼ Teatro Colón | Colon Theater

▼ Café Tortoni | Tortoni Cafe

▲ Buenos Aires Desing - Recoleta
▼ Tanguería El Viejo Almacén | Tangoshow

Pedro de Mendoza must have never imagined its future by the moment he founded it.

Founded as Santa María del Buen Ayre, this little village on the banks of the Mar Dulce became not only the capital city of Argentina, but also the epicenter of most of the historical and social events that gave shape to the history of the country.

This megalopolis of more than 4.000.000 inhabitants is, like the rest of the country, full of incredible contrasts that make it unique. The most dissimilar architectures, can be found at any corner of the city: such as San Telmo -from the eighteenth century- and the futurist buildings downtown, or the French and English sumptuous mansions -from the turn of the nineteenth century- in La Recoleta and the colorful tenements in La Boca -with its greatest exponent, Caminito-, or the neoclassical Bosques de Palermo designed for Thays and the sophisticated Recoleta.

This continuous contrast makes Buenos Aires City irresistible, familiar and distant at the same time.

Iglesia del Pilar - Recoleta | Del Pilar Church
Av. 9 de Julio y Obelisco | 9 de Julio Av. and Obelisk

Catalinas Norte
Puente Almte. G. Brown-La Boca | A.Brown bridge
Cabildo de Buenos Aires | Buenos Aires Townhall
Casa Rosada | Goverment House

11

• El pasaje Caminito, es uno de los símbolos porteños por excelencia. Ubicado en el tradicional barrio de La Boca y convertido en una verdadera exposición de arte, entre adoquines, paredes y casas de chapa pintadas de vivos colores, Caminito es escenario también de músicos y bailarines de tango. Constituye un paseo obligado al visitante de Buenos Aires.

• Caminito is one of the ultimate symbols of Buenos Aires City. Located in the traditional neighbourhood of La Boca, it has become a real art exhibition in itself, among its paving stones and humble houses with colorful corrugated metal walls. It is the stage of musicians and tango dancers as well as a must for the visitor to Buenos Aires.

Vista aérea de Buenos Aires | Aerial view

 Monumento al Gral. Juan Lavalle | Monument to General Lavalle

 Edificio Cavanah | Cavanah building

 Club de Pescadores | Fishermens' Club

Tango

Nacido en el arrabal porteño a fines del siglo XIX, su música y poesía simbolizan el sentir de Buenos Aires. Se baila cuerpo a cuerpo, sensualmente, al compás del dos por cuatro, donde el bandoneón ocupa un rol protagónico.

• It was born in the poor quarters of Buenos Aires City by the turn of the nineteenth century, its music and poetry represent the feeling of Buenos Aires. It is sensually danced hand-to-hand at the rhythm of two beats to four, having the bandoneon -type of accordion- a key role in it.

◄ Vista nocturna de Puerto Madero | Night view of Puerto Madero

▼ La tradicional Avenida Corrientes. Al fondo el Obelisco | The traditional Corrientes Av. and the Obelisk

• La noche en la Avenida Corrientes es inconfundible por sus variados espectáculos en numerosos teatros y cines.
Los restaurantes, pizzerías y memorables cafés son un clásico lugar de encuentro de los porteños. Las librerías completan la activa vida cultural de la Avenida Corrientes.

• Night life on Corrientes Avenue is incomparable because of the variety of shows and uncountable theaters and cinemas.
Restaurantes, pizza parlors and memorable cafés are classic meeting places for porteños. Bookstores complete the active cultural life of Corrientes Avenue.

Rosario

Santa Fé

• A orillas del Río Paraná el Monumento a la Bandera evoca el primer izamiento de la enseña patria. Cuna de destacados artistas y líderes políticos. Cuenta con uno de los más extensos espacios urbanos forestados del país, el Parque de la Independencia. Es, además, un importante puerto cerealero.

• The Flag Monument is on the banks of the Paraná River. It evokes the first hoist of the national flag. Cradle of outstanding artists and political leaders, it counts with one of the largest urban afforested spaces in the country, Parque de la Independecia.. It is also an important grain port.

Vista aérea de la ciudad | Aerial view of the city ▶

Sierras de Córdoba

Córdoba

• La zona del Cerro Colorado, en las Sierras de Córdoba, fué un antiguo asentamiento de los aborígenes Comechingones, quienes plasmaron en la piedra variadas pinturas de hombres, animales y figuras abstractas de supuesto origen ceremonial.
Lugar de residencia elegido por el poeta y músico Atahualpa Yupanqui.

• Ancient settling of the comechingones in the Cordoba´s Hills. Important site of rupestrian paintings of people, animals and abstract figures with assumed ceremonial purposes. Chosen place of residence of the poet and musician Atahualpa Yupanqui

▼ Los Terrones

▼ Sierras Chicas

▲ Cerro Colorado | Colorado Hill

• Es en las Estancias Cordobesas donde se halla el más auténtico patrimonio cultural y folclórico de los pobladores de la provincia. La sobria y atractiva arquitectura colonial y barroca es la herencia de la colonización jesuítica (S. XVII y XVIII)

• It is in the farms where the authentic cultural and folkloric patrimony of the settlers of the province can be found. The sober and attractive colonial and baroque architecture is the inheritance of the Jesuit colonisation. (XVII and XVIII centuries)

Diferentes vistas de la Estancia La Paz
Different views of La Paz farm

Co. Aconcagua

Mendoza

• La Cordillera de los Andes, colosal muralla rocosa, ofrece uno de los espectáculos más imponentes con el cerro Aconcagua, la cumbre más elevada de América (6.959 m.s.n.m.) Desafío permanente para los montañistas de todo el mundo.

• The Andes, colossal rocky wall, offer one of the most imposing sights with the Aconcagua, the highest peak in the American continent 6.959 meters above sea level. Permanent challenge for mountain climbers from all over the world

▶ Página siguiente: Campamento base Plaza de Mulas | Plaza de mulas base camp

• El Puente del Inca es un monumental arco de piedra, con aguas ricas en minerales que brotan de manantiales. Por debajo, se desliza el río Las Cuevas.

• Puente del Inca: imposing stone arch rich in minerals that rise from warm water springs. Las Cuevas river runs bellow.

• Mendoza es un oasis de acequias, canales y viñedos. Las grandes bodegas y los pequeños productores artesanales ofrecen al mundo sus exquisitos vinos.

• Mendoza is an oasis of irrigation ditches, canals and vineyards. The biggest wineries and the smallest traditional producers offer their exquisite wines to the world.

Atardecer en el Cañon del Atuel, San Rafael. | Sunset in the Cañón del Atuel, San Rafael

Valle de la Luna

San Juan

▲ "El Submarino"

• Ubicado al Nordeste de la Provincia de San Juan, el Parque Natural Prov. Ischigualasto, conocido como "Valle de la Luna", es un deslumbrante escenario del pasado del planeta donde aflora el período Triásico de la Era Mesozoica (250 millones de años). Ante el asombro y el silencio emergen las más caprichosas esculturas, que el viento y el agua han modelado a través de los siglos. Declarado por la UNESCO Patrimonio de la Humanidad.

• It is located in the northeast of San Juan province, Provincial Natural Park Ischigualasto, known like Valle de la Luna. It is a dazzling scenery of the past of the planet, where the Triassic period of the Mesozoic -250 million years- comes to the surface. The most fanciful sculptures that the wind and water have shaped along the centuries appear before the silence and amazement. UNESCO has declared it Patrimony of Humanity.

• Las imponentes Barrancas Coloradas dominan el entorno del Valle de la Luna, alcanzando hasta 200 mts. de altura. Sus tonos rojizos se deben a la presencia de óxido de hierro.

• The imposing Barrancas Coloradas dominate the area of Valle de la Luna, reaching up to 200 meters height. Its reddish shade is due to the presence of iron oxide.

Guanacos ▶
Páginas siguientes | Next pages "El Hongo"

▼ Valle Pintado | Pintado Valley

▶ Cancha de Bochas | Bowls track

P.N. Talampaya *

La Rioja

▼ Rey Mago

▲ La Catedral

  * Talampaya National Park

• Al sureste de la Provincia de La Rioja se extiende este magnífico circuito de cañones. Entre estrechos cañadones se alzan imponentes las paredes de arenisca rojiza sedimentaria del período Triásico, Era Secundaria. Las paredes se elevan hasta 143 mts. de altura. El viento y el agua modelaron caprichosas geoformas, que albergan importantes petroglifos de los antiguos habitantes. Declarado Patrimonio de la Humanidad en el año 2000.

• National Park Talampaya. This wonderful circuit of canyons stretches in the southeast of La Rioja province. Sedimentary reddish sandstone walls rise majestically (Secondary Period, Triassic) among narrow canyons. The walls soar up to 143 meters high. The wind and water have modeled fanciful geoshapes that give shelter to important petroglifos of ancient inhabitants. It was declared Patrimony of Humanity in the year 2000

⌃ Torres de ajedrez

✧ Vistas aéreas de los Cañones de Talampaya | Aerial views of Talampaya Canyons

Tafí del Valle

Tucumán

- A unos 100 kms. de San Miguel de Tucumán, atravesando una quebrada de deslumbrante vegetación, se llega a Tafí del Valle. En la hoyada del valle se erigen los conocidos *menhires*, esculpidos por los aborígenes Tafí.
- Tafí del Valle can be reached by going through a gully with dazzling vegetation. It is about 100 kms from San Miguel de Tucumán. The famous menhirs, sculpted by the Tafí aborigines, rise in the valley.

Noroeste

Jujuy | Salta | Tucumán

Visitar el Noroeste Argentino es como viajar en el tiempo. La herencia incaica convive con el pasado colonial en una extraña armonía. Sus habitantes, silenciosos, llevan en la piel la marca de su tierra, mientras que sus pequeños pueblos se levantan en torno a las blancas iglesias, algunas de ellas de pleno barroco-americano. La inmensidad, el silencio eterno y el ocre omnipresente hacen de él un lugar especial. Esta es, probablemente, la zona con más historia del país.

Las alturas y los climas modifican la región a cada paso. De la agobiante selva subtropical tucumana con su superposición constante de vegetación se puede llegar a Tafí del Valle, y así empezar a recorrer los Valles Calchaquíes. Apenas a 100 km. al norte, se entra en el árido y pedregoso desierto del sur de Salta, que desemboca en un oasis de tierra fértil que es Cafayate, conocido por sus viñedos. Si se sigue hacia el norte, después de pasar por la colonial ciudad de Salta y ya en territorio jujeño, se llega a la increíble Quebrada de Humahuaca. Flanqueados por la Puna, se puede recorrer la milenaria ruta incaica.

Visiting the northwest of Argentina is like travelling to the past. The Inca inheritance lives together with the colonial past in peculiar harmony. The quiet inhabitants have the mark of their land under their skin, while their little towns rise among white churches, some of which of full baroque-American style. The immensity, the eternal silence and the omnipresent ochre make it special. This is probably one of the most historical areas in the country.

The heights and different kinds of weather modify the region step by step. Tafi del Valle can be reached from the oppressively hot Tucumana

▼ Pobladores del Noroeste / Jujuy - Salta | People of the Northwest

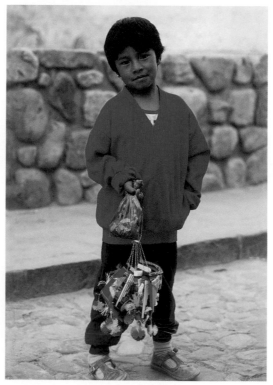

▼ Purmamarca | Jujuy

subtropical forest, with colorful thick vegetation, and just from there one can go all over the Calchaquíes Valleys. Only 100 km northwards, we get into the arid and stony desert in the south of Salta, which comes out onto an oasis of fertile land that is called Cafayate, well-known by its vineyards. If one keeps moving north, after going through the colonial city of Salta, once in Jujuy province, the incredible Humahuaca Gully can be reached. Flanked by the Puna, the millenary Inca road can be walked over.

▲ Selva Tucumana y Menhires / Tucuman | Subtropical forest and menhirs

▶ Tren a las Nubes, de Salta a S. A. de los Cobres
▶ Catedral de Salta, Finca Tabacalera, Alfareria y Llamas / Salta | Train to the clouds from Salta to S.A. de los Cobres, Cathedral of Salta, Farm of tobacco, Pottery and Llamas.

▼ Ruinas de Quilmes / Tucuman | Quilmes' Ruins

Valles Calchaquíes
Salta | Tucumán

▲ Viñedos y bodega en Cafayate / Salta | Cafayate's vineyard and winery

• En lengua "Kakán" Cafayate significa "lugar que lo tiene todo". Fue tierra de aborígenes y luego misión jesuítica; estos comenzaron el cultivo de los viñedos. Actualmente la uva "torrontés" da un vino frutado, fresco y aromático que ha hecho famosa a la región en el mundo.

• Cafayate means "place that has everything" in "Kakán" language. It was first the land of aborigines and a Jesuit mission later. The Jesuits cultivated the vineyards. At present, the "torrontés" grape offers a wine with a flavor of fruit, fresh and aromatic, that has made the region famous.

▼ Quebrada de las Conchas / Salta | De las Conchas Gully

41

▼ Secaderos al sol de pimientos colorean la región de Cachi | Red peppers drying sheds in the sun give color to the Cachi region

▼ Auténticas artesanías de los pobladores del Valle: alfarería, ponchos y tapices tejidos en telar. | Authentic crafts of the settlers in the valley: pottery, ponchos and tapestries woven in looms.

▼ Iglesia colonial en Cachi / Salta | Cachi church

▼ Extraños farallones de arenisca blanca custodian el camino que atraviesa la Quebrada de las Flechas / Salta | Weird sentinels of white sandstone guard the path that goes through Las Flechas Gully

◀ Desde el Parque Nacional Los Cardones se observan las cumbres del Nevado de Cachi (6.380 mts.) / Salta | The tops of the Nevado Cachi (6,380 m.) can be seen from Los Cardones National Park.

Iruya y San Isidro

Salta

• Desde la localidad de Humahuaca, hacia e[l] este, a través de un empinado y tortuoso camino, se accede a Iruya. Este pueblo fue construido a 2.780 m.s.n.m. en la abrupta pendiente que desciende hacia el lecho del río del mismo nombre. Aún hoy se cultiva en las antiguas terrazas preincaicas e incaicas.

• Can be reached leaving from Humahuaca, towards the East, through a steep and winding path.
It was built at 2,780 meters above sea level in the abrupt slope that falls steeply into the banks of the Iruya River. Nowadays, cultivation is still practiced on the antique pre-Inca and Inca terraces.

• Desde Iruya, por el lecho del río homónimo en una dificil travesía, se llega al pueblo de San Isidro. Allí se celebra cada año la Fiesta Patronal donde se pone de manifiesto un asombroso sincretismo religioso.
• San Isidro town can be reached from Iruya, after a difficult journey, going along its homonymous river.
Patron Saint's Day is celebrated in San Isidro town every year. An astonishing religious syncretism is revealed.

Quebrada de Humahuaca

Jujuy

Escenas de la Quebrada de Humahuaca
Maimará y Purmamarca | Scenes of the
Humahuaca Gully / Maimará y Purmamarca

El Río Grande discurre entre la policromía de los cerros, salpicados de antiguos pueblitos, restos de "pucarás" y "antigales" precolombinos.

En Purmamarca el paisaje cautiva tanto como la singular calidéz y serenidad de sus pobladores. El cerro de los Siete Colores refleja las distintas edades geológicas de la Tierra.

• The Grande River runs between the polychromy of the hills dotted by little old villages and remains of "antigales" and "pucarás" (pre-Columbian fortresses).

The landscape, as well as the extraordinary warmth and serenity of its settlers, captivates visitors to Pumamarca. Siete Colores Hill reflects the different geological ages of the earth.

▲ Cerro de Siete Colores / Purmamarca | Siete Colores Hill

• En Uquía se encuentra la Iglesia de San Francisco de Paula (1691). De estilo netamente americano, se destacan las pinturas restauradas de la Escuela Cuzqueña, los famosos Angeles Arcabuceros con vestimenta y armamento hispano. El altar mayor fue tallado en madera y laminado en oro 22 ktes. Desde la carretera se divisa el tradicional cementerio de Maimará, adornado con coloridas flores de papel.

• San Francisco de Paula Church (1691). It is one hundred percent American style. Restored paintings in the Cuzqueña School, the famous Angeles Arcabuceros (Harquebusier Angels) with Hispanic clothing and weapons stand out. The main altar has been carved in wood and laminated in 22-karat gold.
The traditional Maimará cemetery can be seen from the road. It is ornamented with colorful paper flowers.

▲ Vista de Tilcara desde el "pucara". Desde allí se domina gran parte de la Quebrada de Humahuaca | Sight of Tilcara from the "pucara". An important extension of Humahuaca Gully can be watched from here.

Durante Semana Santa se celebra la más importante festividad religiosa: la peregrinación de la imagen de la Virgen de Copacabana desde Punta Corral hasta Tilcara.
During Holy Week is celebrated the most important religious ceremony: the pilgrims come down carrying the image of the Virgin of Copacabana, from Punta Corral to Tilcara.

P.N. Iguazú *

Misiones

• Su ancestral nombre en lengua guaraní significa "aguas grandes". El río Iguazú precipita su caudal desde alturas de hasta 80 mts., a través de 275 saltos de agua, y a lo largo de 2.7 kms. de recorrido. Los saltos envueltos en nubes de vapor, pintados de arco iris, atronan el paraje. El Parque Nacional fue creado en 1934, la exhuberante selva subtropical alberga 2.000 especies de plantas, centenares de especies de aves y variada fauna. Declarado por la UNESCO Patrimonio Natural de la Humanidad.

* Iguazú National Park

• Its ancestral name in Guaraní language "Iguazú" means "big waters". The Iguazú River plunges its imposing volume of flow, from heights of 80 meters, into 275 waterfalls and along 2,7 kms.
The place rings with these waterfalls, wrapped in steam clouds and painted in rainbows. The National Park was created in 1934. The exuberant subtropical forest is home of 2,000 species of plants, hundreds of birds of different species and varied wildlife. UNESCO has declared it Patrimony of Humanity

▸ Vista aérea de la Garganta del Diablo | Aerial view of La Garganta del Diablo

▾ Guacamayo Roja | Red macaw

▴ Tucán pecho rojo | Toucan

▾ Tapires | Tapirs

• Cerca de la ciudad de Posadas, capital de la provincia, se encuentran numerosas ruinas Jesuíticas como las de San Ignacio que datan del Siglo XVII. Declaradas por la UNESCO Patrimonio Cultural de la Humanidad.

• Several Jesuit ruins that date from the seventeenth century, such as San Ignacio, can be found near Posadas City. UNESCO has declared them Patrimony of Humanity.

▲ Tucán grande | Big Toucan

Esteros del Ibera

Corrientes

⌃ Ciervo de los Pantanos | Swamp deer

▲ Yacaré | Cayman

• Iberá es "agua brillante" en lengua guaraní. Los Esteros comprenden 52.000 has. ubicados al Centro-Norte de la Provincia de Corrientes. En sus lagunas e islas flotantes, esta Reserva Natural creada en 1983, alberga 400 especies de aves, tortugas, carpinchos, monos, ciervos de los pantanos y ha logrado sobrevivir el yacaré.

• Iberá means "shining water" in Guaraní language. These 52,000-hectare marshes are located in the center-north of Corrientes province. This Natural Reservoir, created in 1983, is home of 400 species of birds, turtles, capybaras, monkeys, and deer. Even the cayman has managed to survive in its lakes and floating isles.

Yabirú | Jabiru ▶

Chiflones | Whistling heron ▶▶

P.N. El Palmar *

Entre Rios

• A orillas del río Uruguay se encuentra el último bosque de palmeras Yatay, que alcanzan hasta 12 mts. de altura y tienen aproximadamente 100 años de vida. Estos palmares forman galerías a orillas de los arroyos. En el atardecer nos ofrecen un mágico espectáculo.

• The last forest of Yatay palm trees of about 12 meters high and 100 years old, can be found on the banks of Uruguay River. These palm groves form galleries on the shores of the lakes. The sunset offers a magical sight.

* El Palmar National Park

Mar del Plata

Buenos Aires

• La más importante ciudad balnearia argentina, a sólo 400 kms. de Buenos Aires, es también un activo puerto pesquero. Centro internacional de convenciones y congresos. Confluyen aquí grandes atractivos turísticos: espectáculos culturales y artísticos, centros comerciales, casinos y junto a sus playas, hermosos paseos costeros.

• It is the most important summer resort in Argentina, as well as an active fishing port. It is only 400 km from Buenos Aires. It is also an international host of congresses and conventions. Important tourist attractions meet here: cultural and artistic shows, shopping centers, casinos and last, but not least, a beautiful seafront along the beaches.

⌂ Faro de Punta Mogotes | Punta Mogotes' lighthouse

▲ Playa Grande | Grande Beach

Puerto de pescadores | Fishing port ▸

Páginas siguientes: vista aérea nocturna de la Ciudad de Mar del Plata | Next pages: night aerial view of Mar del Plata city

Patagonia

Neuquén | Rio Negro | Chubut | Santa Cruz

La Patagonia es, quizás, el último refugio virgen de Argentina. Su ubicación, la rudeza de su clima y los mitos alrededor suyo hacen que este lugar no haya sido modificado por el hombre.

Tierra de viajeros, colonos, exploradores y toda clase de aventureros, posee riquezas inconmensurables. Desde su Reservas Faunísticas (que incluyen ballenas, orcas, pingüinos, lobos y elefantes marinos) hasta sus imponentes glaciares en la Cordillera, la Patagonia es el lugar ideal para ver y disfrutar la naturaleza en su máxima expresión. Desde los lagos cordilleranos, pasando por la infinita meseta hasta las extensas costas marítimas, la Patagonia es una experiencia que no puede ser pasada por alto.

Colonizada recién en el siglo XIX, hasta ese momento había sido habitada sólo por sus fuertes aborígenes, entre otros, los mapuches, tehuelches y onas.

Patagonia must be the last virgin territory in Argentina. It is because of its location, severe weather conditions, as well as the myths around it, that man has not spoiled it yet.

Land of the travelers, colonist, explorers and all kinds of adventurers, it has vast riches. From the richness of the fauna –that includes whales, penguins, seals and walruses- to its imposing Glaciers in the mountain range, Patagonia is the ideal place to see and enjoy nature in its utmost expression. From the mountain lakes, through the endless plateau to the vast seacoasts, Patagonia is an experience that cannot be overlooked.

Colonized in the twentieth century, it has only been inhabited by its strong aborigines, "Mapuches", "Tehuelches" and "Onas" among others.

▾ Témpano en el Lago Argentino / Santa Cruz | Piece of ice in Argentino Lake
▾ Hotel Llao Llao / Bariloche - Río Negro

▾ Lago Futalaufquen / Chubut | Futalaufquen Lake

▾ Pingüinos de Magallanes / Chubut | Magallanic penguins

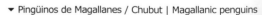

▾ Glaciar Perito Moreno / Santa Cruz | Perito Moreno Glacier

▾ Guanaco y Elefante Marino / Chubut | Guanaco and Southern Elephant Seal

▾ Mte.El Chalten / Fitz Roy / Santa Cruz | El Chalten Mount

▾ Isla de los Lobos / Tierra del Fuego | Los Lobos' Island

▸ Ballena Franca Austral / Chubut | Right Southern Whale

▾ Glaciar Perito Moreno / Santa Cruz | Perito Moreno Glacier

Bariloche

Rio Negro

Centro Cívico de la ciudad de San Carlos de Bariloche. | Civic center in San Carlos de Bariloche city.

• Dentro del Parque Nacional Nahuel Huapi se encuentra la ciudad de San Carlos de Bariloche. Recostada sobre el lago Nahuel Huapi a 770 m.s.n.m., es el principal centro turístico y deportivo invernal de la Patagonia. Visitan la ciudad unos 650.000 viajeros por año y cuenta con la mayor infraestructura turística de la Patagonia.

• San Carlos de Bariloche City is located in Nahuel Huapí National Park, is on the shore of Nahuel Huapi Lake to 770 m.a.s.l.
It is a major tourist attraction and the center of winter sports. It is visited by 650.000 tourist each year.

▲ Vista aérea del Lago Gutierrez | Aerial view of Gutierrez Lake

• El Cerro Otto es uno de los principales puntos de observación de la ciudad, de los lagos Nahuel Huapí, Moreno y Gutierrez y de los cerros Tronador y Catedral. Su base es también el lugar preferido para la práctica del esquí nórdico y el trineo tirados por siberian huskies.

• Cerro Otto is one of the principal observation posts from where the city and Nahuel Huapi, Moreno and Gutierrez lakes, Tronador and Catedral mount can be watched. It is also the favorite place for Nordic ski and sledges pulled by Siberian huskies.

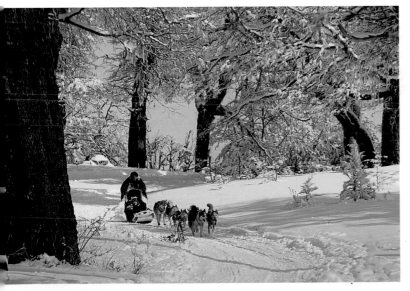

• A unos 20 km. de la ciudad, se encuentra Villa Cerro Catedral con sus escuelas de esquí, restaurantes y confiterías, hoteles, alquiler y venta de todo tipo de equipos para nieve. De aquí parten a través de cómodos medios de elevación, esquiadores aficionados y profesionales hacia distintos tipos de pistas. El Cerro Catedral, con sus 2.385 m.s.n.m. domina este paraíso de los esquiadores.

• Cerro Catedral Village is situated about 20 kms. from the city. It offers skiing school, restaurants and bars, hotels, renting and selling of all the necessary equipment for skiing. It is from here that amateur and professional skiers leave towards different kinds of ski slopes by means of comfortable chair lifts. The Catedral Hill, with its 2,385 m.a.s.l., dominates this paradise for skiers.

⌃ Puerto Pañuelo | Pañuelo Harbour

▲ Hotel Llao Llao

▲ Hotel Llao Llao

▶ Capilla San Eduardo | San Eduardo Chapel

▶ Lago Nahuel Huapi desde el Punto Panorámico | Nahuel Huapi Lake, sight from Punto Panorámico

Península Valdés

Chubut

▲ Puerto Madryn

▾ Puerto Pirámides

▾ Lobos Marinos de un pelo en Punta Alt / Golfo Nuevo | Southern sealions in Punta Alt

▾ Lobos Marinos de un pelo en Punta Loma | Southern sealions in Punta Loma

▾ Ballena Franca Austral | Southern Right Whale

• Península Valdés está determinada por el contorno caprichoso de la costa patagónica sobre el Océano Atlántico. Unida al continente por el Itsmo Ameghino, a través de 35 kms. de longitud, encierra una superficie de 360.000 has., con Puerto Pirámides como principal asentamiento humano.

Se puede afirmar que es un santuario único de la naturaleza, declarada Patrimonio de la Humanidad, por las Naciones Unidas. La extraordinaria y salvaje belleza de sus paisajes, se sobredimencionan con la presencia de especies animales, en variedad y cantidad inigualable. Su puerta de entrada es la ciudad de Puerto Madryn, que cuenta con una completa infraestructura turística.

• Península Valdés is drawn by the fanciful outline of the Patagonic coast on the Atalntic Ocean. Joined to the continent by the Ameghino isthmus, of 35 kms. long, it has a 360,000 hectare surface, with Puerto Piramides as the main settlement. It can be asserted that it is a unique nature sanctuary. The United Nations has declared it Patrimony of Humanity. These presence of an incomparable variety and number of animal species enhances the extraordinarily wild beauty of its landscapes. Puerto Madryn City, which has a complete tourist infrastructure, is the entrance door.

▲ Los delfines forman parte de la aventura que se descubre en los paseos náuticos por el Golfo Nuevo. | Dolphins are part of the adventure that is discovered while sailing the Golfo Nuevo.

Lobos Marinos de un pelo | Southern Sealions ▸

- Las Reservas Faunísticas de Punta Norte, Isla de los Pájaros, Caleta Valdés, Pirámides y la zona del Faro de Punta Delgada constituyen los escenarios más apropiados para el avistaje de fauna.

• Wildlife Reserves of Punta Norte, Isla de los Pájaros, Caleta Valdés, Pirámides and the area of Punta Delgada Lighthouse, are the best scenery for fauna watching.

▶ Atardecer en Caleta Valdés | Sunset in Caleta Valdés

◀ Zorro Gris | Grey Fox

◀ Pingüinos de Magallanes | Magallanic penguins

Orca ▲

Elefante Marino | Southern Elephant Seal ▶

Punta Tombo

Chubut

• En 1979 la Provincia de Chubut creó una Reserva en Punta Tombo de 21 has. a fin de proteger a los pingüinos de magallanes. Allí se encuentra una de las colonias de aves marinas más diversas del mundo y una de las mayores colonias continentales de pingüinos, con más de 500.000 aves.

• In 1979 Chubut Province created a 21 hectares reserve in Punta Tombo, to protect the Magallanic penguins. It is there where one of the most varied marine birds colonies, as well as one of the largest continental colonies of penguins –with more than 500,000 birds- can be found.

P.N. Los Alerces *

Chubut

◄ Río Arrayanes - Lago Futalaufquen | Arrayanes River - Futalaufquen Lake

* Los Alerces National Park

"La Trochita", viejo expreso patagónico ▶
The Old Patagonian Express La Trochita

Reserva Provincial Bosques Petrificados "José Ormaechea" de Sarmiento ▶▶
"José Ormaechea" Petrified forest Provincial Reserve of Sarmiento

P.N. Los Glaciares *
Santa Cruz

• Al sudoeste de la Provincia de Santa Cruz en los Andes Australes, a lo largo de 350 kms., los hielos continentales conjuntamente con los glaciares Perito Moreno, Spegazzini Onelli, entre otros, dan marco al Parque Nacional Los Glaciares (717.800 has.).
Lo conforman también la estepa patagónica la imponente presencia del Cerro Chaltén (Fitz-Roy) y el Cerro Torre, los lagos como el Argentino, el Viedma y el Roca; los bosques de lengas, ñires y guindos, la fauna autóctona y pueblos como El Calafate y El Chaltén. Declarado Patrimonio Natural de la Humanidad por la UNESCO en 1981.

* Los Glaciares National Park

▾ Estancia Turística y Paseo de compras en El Calafate | Tourist farm and shopping center in El Calafate

▾ Travesías 4 x 4 y atardecer en El Calafate | 4 x 4 crossing and sunset in El Calafate

In the southwest of Santa Cruz Province, in the southern Andes, along 350 kms., the continental ices together with Perito Moreno, Spegazzini and Onelli glaciers, among others, give the ideal setting for Los Glaciares National Park (717,800 hectares). It is also made up by the Patagonic steppe, the imposing presence of the Chaltén (Fitz Roy) and the Torre hills, lakes such as the Argentino, the Viedma and the Roca; the forests of high beech, low beech and ever-green beech, the native fauna and populations such as El Calafate and El Clatén. The UNESCO declared it Patrimony of Humanity in 1981.

Trekking en las cercanías del Glaciar Perito Moreno | Trekking nearly of Perito Moreno Glacier

Pinturas rupestres | Rupestrian paintings

Competencia Internacional de globos aerostáticos en El Calafate ▸ | Hot-air balloon International Competition in El Calafate

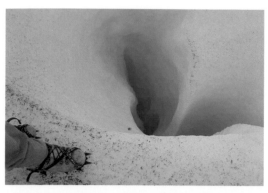

▲ Minitrekking sobre el Glaciar Perito Moreno | Minitrekking over the Perito Moreno Glacier

▲ Navegación en el Lago Argentino / Glaciar Upsala | Tour in Argentino Lake / Upsala Glacier

Partiendo de Punta Bandera, en el Lago Argentino, se realizan excursiones ▶
lacustres a los Glaciares Perito Moreno, Spegazzini, Onelli y Upsala.
It can be to navigate in the Argentino Lake, departing from Punta Bandera
wharf, to the Spegazzini, Onelli, Upsala and Perito Moreno Glaciers.

El Chaltén

Santa Cruz

▲ Guanacos en las cercanías del Lago Viedma. Ruta 40, camino a El Chalten | Guanacos around Viedma Lake. Route 40, El Chaltén way

◄ Puma

▶ Zorro Gris | Grey Fox

• La montaña más alta de la Patagonia es el Fitz Roy (3.375 m.s.n.m.) . Los aborígenes lo llamaban Chaltén que significa "Cerro con Humo", por la casi permanente nubosidad que lo rodea. Se trata de una formación de roca cubierta de hielos muy difícil de escalar. Tanto o más exigentes son los cerros Torre, Torre Egger, Solo, Poincennot, Saint Exupery y La Bífida. Al pie, la simpática villa turística El Chalten, bordeada por el río Las Vueltas.

• Fitz Roy Hill (3,375 m.a.s.l.) is the highest mountain in Patagonia. The natives essed to call it "Chalten" that means "hill with smoke" because of the permanent clouds around it. It is a rocky formation covered by ice and very difficult to climb. The Torre, Torre Egger, Solo, Poincennot, Saint Exupery and La Bífida Hills, are as demanding as the Fitz Roy. The cozy tourist village El Chalten lies at the botton. Las Vueltas river flows around it.

Ushuaia
Tierra del Fuego

▲ Vista de la ciudad de Ushuaia | Sight of Ushuaia City

• A orillas del canal de Beagle, Ushuaia es la ciudad más austral del mundo, rodeada por el monte Martial, ofrece un paisaje único en Argentina: la combinación de montañas, mar, glaciares y bosques.
El Parque Nacional Tierra del Fuego es la expresión más austral de la región andino-patagónica, con sus centenarios bosques de lenga, ñire, canelo y guindo. Es uno de los dos Parques Nacionales que tiene costa marina, las orillas del Canal de Beagle, por lo que protege también el ecosistema marino.

• Ushuaia, the suothernmost city in the world, is on the shore of the Beagle Channel. Enclosed by the Martial mount, it offers a unique landscape in Argentina: mountain, sea, glaciers, and forrest combination.
It is the typical southern expression of the Patagonic-Andean region, with its legendary forests of high beech, low beech, cinnamon trees and evergreen beech.

▲ Atardecer en la Bahia de Ushuaia | Sunset in Ushuaia Bay

▶ Deportes invernales: Esqui y Trineos tirados por Siberian Huskies | Winter games

▲ Carancho | Crested Caracara

▲ Bahía Lapataia / P.N. Tierra del Fuego | Lapataia Bay / Tierra del Fuego National Park

Isla de los Lobos y faro Les Eclaireurs / Canal de Beagle | Los Lobos' Island and Les Eclaireurs lighthouse

• Fotógrafos invitados | Photographers invited

• Claudio Suter: pag. 24 | 25 | 54 | 55 | 58 | 59 | 62 | 63 | 64 | 65 | 68 abajo / bottom | 75 • Paulo Backes (Br): pag. 20 | 21 • Kiki Boccarelli: pag. 22 | 23 | 26 | 39 arriba / above right • Horacio Alba: pag. 61 • Pablo Cersósimo: pag. 9 abajo / bottom right

• Impresión | Printed: Establecimiento Gráfico Impresores S.A. **impresores**

• Fotocromía y retoque digital | Digital colour separation: GEA
GRAFICOS

• Encuadernación | Binding: *Jema Encuadernación S.R.L.*

▲ Antártida Argentina, en las cercanías de la Base Marambio | Argentine Antartica, near Base Marambio

• Pareja de Baile: Pablo y Silvina | www.iespana.es/syptango
(54 11) 46 41 26 77
Mapa | Map: Noak

• Agradecimientos | Acknowledgements:

Analí, Alejandra y Nadia.

Profesional Color S.A. | Mario Recio - Marcelo Otero | Rubén Moro Roberto De Hoz | Carlos Negri | Roberto Sicilia | Alex Tosembergher | Adrian Gimenez Hutton | Balder S.R.L. | Sussex S.R.L. (Serv. Tec. Land Rover) Eduardo Udenio & Cia. S.A. (Nikon) - Omar Martín | Faye S.A. Juan Carlos Moroni | Andrea Fernandez Campbell | Francisco Martos | Daniel Scardaccione | Claudio Suter | Paulo Backes | Kiki Boccarelli | Horacio Alba | Pablo Cersósimo | R. Alfieri

www.patrian.com.ar | gaiaxxi@ciudad.com.ar

GALA XXI